作者 徐菁亞（Jung-Ah Seo）

主修幼兒教育，目前從事繪本企劃和寫作。她的文字富涵孩童般的純潔之心，創作的作品有《麴醬啊！是麴醬！》、《核桃餅》、《旗子》等。

繪者 史提方·吉赫（Stephane Girel）

1970年出生於法國里昂，主修美術，目前忙於繪製童書。繪本作品有《我不高興》、《搭乘太空梭的手帕》和《搭什麼去呢？》等。《住在紅木屋的老太太》是以丙烯酸胺為染料繪成，故事背景設定在瑞典，是一個蘊含著大愛的故事。

譯者 楊中英

輔大英文系畢業，美國愛荷華大學語言學研究所碩士，主修英文教學。曾擔任貿易公司秘書、台北五南圖書公司英漢字典校改，現任教於屏東大仁科技大學。喜愛閱讀及電影。

住在紅木屋的老太太

作者／徐菁亞（J. A. Seo）
繪者／史提方·吉赫（S. Girel）
譯者／楊中英
發行人／林載爵·叢書主編／黃惠鈴·編輯／王盈婷
特約編輯／林陳萍、陳淑珍·特約美術編輯／freelancerstudio
出版者／聯經出版事業股份有限公司
地址／台北市忠孝東路四段561號4樓
電話／（02）2762-7429·郵政劃撥帳戶／0100559-3
初版／2010年06月·定價／新臺幣299元
ISBN／978-957-08-3575-5
網址／www.linkingbooks.com.tw
Copyright © Yeowon Media, 2008
First published in Korea in 2008 by Yeowon Media.

住在紅木屋的老太太

作者／徐菁亞　繪者／史提方・吉赫
譯者／楊中英

不久前，我搬進了一棟漂亮的新房子。
新房子在一個小村莊裡，
距離爸媽工作的地點斯德哥爾摩不遠。
站在屋子前面，你可以看到清澈藍色的湖，
而圍繞在房子後面的是一片白樺樹林。
多美的地方啊！
嗯，我的意思是如果沒有隔壁那棟老舊的紅木屋！

有一天，住在紅木屋的鄰居來拜訪我們！
她一手拿著枴杖，一手端著一盤餅乾。

我是維多利亞，你們隔壁的鄰居。
你叫什麼名字呀？
阿妮卡嗎？好可愛的名字。
來吃餅乾吧！
我自己做的。
現在年輕的媽媽不再有時間烤點心了。
她們需要工作來繳好高的稅。
來，嘗嘗看，哈哈哈……

一個國家的中央或地方政府會向國民徵收「稅」，有工作
的國民都有義務要繳稅，沒有人例外。稅金用來維持國家
事務的運作，以及支付國民的醫療健保和社會福利。

維多利亞老奶奶似乎從年輕開始，就一直住在紅木屋。
她拄著柺杖，在住家附近走進走出。
速度比我騎滑板車還快。

多美的一天。
你要和我一起走走嗎？

在一個陽光燦爛的星期天，
我騎滑板車繞著村莊到處溜達。
我在紅木屋前停下來。
老奶奶在花園種花。
紅木屋非常非常的老舊。
但那花園啊，真是美！
老奶奶高興的向我揮手。
然後突然之間，她痛苦得呻吟起來。

老奶奶坐在床上，
然後打了通電話給一個叫「客盟」（Kommun）的地方。
就在此時，我偷瞥了一下房子！
紅木屋裡就像屋外一樣老舊。
門喀噠喀噠響，樓梯嘎吱嘎吱叫，
而且牆壁上布滿了塗鴉。

老奶奶拄著枴杖從房間出來。
她站在我旁邊，輕輕摸著布滿塗鴉的牆壁。

這房子好舊，對不對？
一定有三十年了……
我先生是個木匠，這房子是在他發生意外去世前蓋的。
門、樓梯、院子的花、樹……
都出自他的手。
我的女兒也在這兒長大。
現在她住在遙遠的地方。
但是，當我看到她小時候的塗鴉，
我就好像回到了過去的時光。

很快地，由「客盟」派來的醫生和整理家務的幫手到達了。

和善的醫生為老奶奶做治療，幫忙整理家務的人準備了一餐飯，

也打掃了屋子。

「維多利亞老太太，你的風溼更嚴重了。

對你來說這個房子太冷，而且上下樓梯太困難了。

請你搬到新房子好不好？」

「我不會有事的，我怎麼能離開這裡呢？

這房子對我來說太珍貴了。」

瑞典的「客盟」（Kommun）是一個負責社會福利政策的自治組織。老年人可以得到健康照顧的服務及福利。

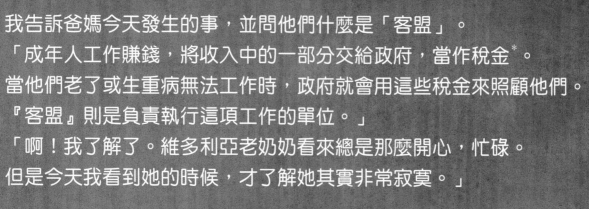

我告訴爸媽今天發生的事，並問他們什麼是「客盟」。
「成年人工作賺錢，將收入中的一部分交給政府，當作稅金*。
當他們老了或生重病無法工作時，政府就會用這些稅金來照顧他們。
『客盟』則是負責執行這項工作的單位。」
「啊！我了解了。維多利亞老奶奶看來總是那麼開心，忙碌。
但是今天我看到她的時候，才了解她其實非常寂寞。」

＊稅金是政府向人民所徵收的財賦，用來幫助維持市政區的運作。

幾天之後，從紅木屋前面傳來了救護車的警笛聲。
我好奇的跑出去看看發生了什麼事。
老奶奶被人用擔架抬了出來！
老舊的樓梯倒塌讓她跌倒了。
噢！真糟，如果她受了重傷怎麼辦？

老奶奶不在，紅木屋顯得更舊、更孤單了。
幸運的是，從媽媽那裡傳來了好消息。
雖然老奶奶的腿打上了石膏，
但是十天後，她就可以回家了。
而且政府會幫忙整修老奶奶的房子。
老奶奶不想住進老人之家或其他地方。
所以政府決定整修她的房子，是免費的喔！
那麼她以後就可以安全的住在那兒了。

轟，砰……砰……砰
紅木屋的整修工作隔天開始進行。
屋頂修好，新的門裝好，樓梯變成平坦的坡道，
雙層窗戶用來擋風，油漆覆蓋了牆上的塗鴉。
老奶奶會喜歡那面新油漆的牆壁嗎？

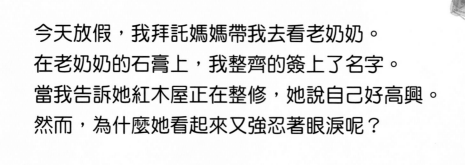

今天放假，我拜託媽媽帶我去看老奶奶。
在老奶奶的石膏上，我整齊的簽上了名字。
當我告訴她紅木屋正在整修，她說自己好高興。
然而，為什麼她看起來又強忍著眼淚呢？

不再擔心寒冷的冬天。不再擔心樓梯。
而且剛油漆的牆壁一定很乾淨。
哎呀！看我這老太婆哭成這個樣子。
我只是太開心了……

老奶奶要出院的日子終於到了。
我從學校回家後就急忙來到紅木屋，
我開始擔心探視老奶奶回來的那天晚上我所做的一件事。
這件事我做對了嗎？
如果做錯了怎麼辦？
萬一老奶奶生氣了呢？

噢，親愛的阿妮卡，
我該怎麼謝謝你！

住在紅木屋的老奶奶坐在輪椅上，
看著牆壁上的新塗鴉。
老奶奶大聲喊著我的名字，
然後緊緊抱住我。

從搖籃到墳墓，從出生到死亡

嗨，各位小朋友！

我叫阿妮卡，來自瑞典斯德哥爾摩的郊區。

我在斯德哥爾摩市區長大，但不久前我搬離了那兒。

維多利亞老太太是我在新家附近所遇到的第一個鄰居。

她討人喜歡，又好玩。

但她也是個非常寂寞的老太太。

自從她出院之後，她就一直住在一棟整修過的房子，那兒有社區醫生及護士照顧她。瑞典有發展健全的社會福利制度，讓一些像維多利亞老太太一樣的年老市民，能夠毫不費力的單獨居住。

我一有機會就到她家和她談天，在花園裡幫她的忙。比起我從她那兒得到的愛和關懷，我為維多利亞老太太提供的協助實在不值得一提。

阿妮卡敬上

讓我們想一想

一、什麼是社會福利制度？

二、社會福利制度會遇到哪些問題？

三、你知道台灣有什麼社會福利制度嗎？

阿妮卡的家鄉：瑞典
Sweden

挪威海

瑞典

芬蘭

挪威

愛沙尼亞

北海

拉脫維亞

丹麥

立陶宛

英國

俄羅斯　白俄羅斯

面積：449,964平方公里
首都：斯德哥爾摩
語言：瑞典語

瑞典是世界上最北邊的國家之一。距離赤道很遠，北部地區跨越北極圈。土地狹長，山林環繞，大約有十萬多個湖。

子夜太陽　瑞典最北部位於北極圈內的地區，在夏天的六月份及七月份時，會分別出現一次二十四小時的永晝現象，陽光的照射持續整晚。

瑞典的經濟　瑞典的科技進步，工業工程的相關產業帶來經濟發展。瑞典是運輸設備、機器人工學研究及發展的主要出口國，這些產品輸出到全世界，賺取高利潤。瑞典的汽車工業也非常發達，生產了許多世界級的名牌車。

幼兒福利　瑞典在社會福利方面的排名居世界首位。事實上，幼兒從社會福利制度上得到許多好處。例如：剛生下新生兒的母親會得到一年的育嬰假，還有薪水可領。四歲以上的孩子可接受一天三小時的免費學前教育。這種教育稱為「免費教育」。此外，從小學到研究所的所有教育經費都由政府資助。

瑞典的子夜太陽 ▶

社會福利制度的出現

社會福利制度是政府為了確保國民基本需求得到滿足所實施的一項計畫。在十九世紀晚期,德國政府引進了世界最早的福利制度,通過世界第一個醫療法,提供貧窮勞工的基本醫療需求。德國政府也最早擬定計畫,將補助金發給傷殘人士。第一個福利制度的救濟金或許不像今日的金額那麼龐大,但是這樣的制度對社會有非常顯著的影響。

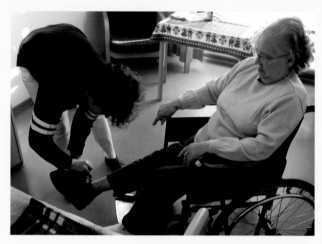

▲ 一位德國老婦人接受福利制度的照護

從生到死

「國家福利」一詞首創於瑞典。福利方面的支出占了瑞典政府收入的**33**％,居歐洲之冠。瑞典福利制度最大的不同,在於它不僅根據需求上的評估提供臨時補助金,更設法支付每個國民從呱呱落地到離開人世的費用。換句話說,瑞典福利制度的宗旨和目標是隨時保護所有國民的福利,從出生到死亡有完善的照護。

▲ 孩童在瑞典接受免費教育

社會福利及稅

建立社會福利制度需要許多錢。這些錢來自國民繳納的稅金,徵收來的稅金用於政府所發放的公共事業。稅有兩種:國家稅及地方稅。國家稅用於政府層級所支出的經費,包括國防、外交和經濟。地方稅則用在支付地方層級的經費,例如:教育、公共設施及社會福利。

社會福利的缺點

社會福利的存在是為了造福國民。然而，政府通過的每一項社會福利給付或政策都會增加政府的稅金。稅愈高，人民工作的動機就愈低。社會福利發展完善的國家，它們的失業救濟金及補助金幾乎和一個人的薪水一樣多。這種情形讓人民產生「為什麼還要工作？」的心態。對於面臨財務困難的人民，這樣的社會福利制度的確有幫助。但是不可諱言的，在「從出生照顧到死亡」這類型的福利制度中，許多人將追求生活品質的責任轉移到政府身上。

▲ 傷殘人士的社會福利

台灣的社會福利

如同一些已開發國家，台灣已建立了社會福利制度來保障國民。但是，從目前中低收入老年生活津貼、敬老福利生活津貼、三歲以下幼兒津貼、老農福利津貼等，津貼滿天飛的福利走向，都需要有充裕的財源作為後盾。隨著近年經濟發展遲緩，社會問題將更加的嚴重，未來可能無力招架的社會衝擊，將包括貧富差距擴大、高失業率、高齡人口數遽增、醫療支出擴大，乃至社會治安惡化等問題。政府如何在符合社會公平與正義目標下，一方面解決社會問題達成福利政策目標，以維持社會的穩定與促進整合，一方面又如何透過積極的經濟政策與勞動政策，加速產業發展、活絡市場，無疑會是台灣未來所面臨的嚴苛考驗。

大家來討論

一、你認為一個好的社會福利制度是什麼樣子呢？

二、社會福利有需要嗎？

三、如果可以改善社會福利，你願意負擔更高的稅嗎？

四、小朋友可以獲得哪些社會福利政策的照顧？

五、如果你是總統，你會開始實施哪些社會福利政策？

nappa

9